보리수아래 감성 시집 I 성인제 시집

행복한 기다림

도서출판 도반

시집을 내면서

2020년을 여는 날에 행복한 바람이 불었습니다
행복한 바람, 꿈에도 생각지 못한 나의 시집을 내게 되
었으니 어느 것도 이보다 좋을 순 없습니다.
시집에 실린 시들은 제가 매일 아침저녁 그리고 시시때
때로 페이스북 등에 낙서하듯 올렸던 글입니다.
전 시가 뭔지도 잘 모르고 시적 표현이 어떤 것인지 잘
모릅니다. 제가 국문학을 전공한 것도 아니고 시를 써
야겠다고 해서 쓴 글들도 아니고 그냥 마음 가는 대로
쓴 글들인데 이렇게 시집으로까지 나와 더 많은 분들과
소통할 수 있어 너무나 기쁘게 생각합니다.
저의 페이스북 친구 분들이라면 한 번쯤 보시고 좋아요
누르시고 댓글도 다셨으리라 봅니다.
2006년부터 장애인불자 모임 보리수아래에서 활동을
하게 되면서 본격적으로 글을 쓰기 시작했습니다. 보
리수아래 회원들은 글 쓰는 분들이 많으셨고, 매년 4월
에 회원들의 자작시 발표와 장애문화 예술인을 초대해
서 함께 공연하는 '보리수아래 핀 연꽃들의 노래'가 있
었습니다.

보리수아래 최명숙 회장님께서 어느 날 "인제씨도 글을 한번 써봐라. 글 쓰면 잘 쓸 것 같다."고, 2014년에 연꽃들의 노래 무대에서 난생 처음 자작시 낭송을 해보라 하셔서 글을 쓰고 공연을 했습니다. 그 다음부터 전 제 페이스북을 저의 낙서장으로 삼아 매일 글을 올렸습니다.

저는 지금 너무 행복하고 좋습니다. 저의 마음이 담긴 낙서들이 시라는 이름으로 나와 더 많은 사람들과 마음을 나눌 수 있게 됐으니까요.

항상 저를 위해 기도해주시는 저희 부모님과 이 책을 내기까지 많은 역할을 해주신 최명숙 회장님과 도서출판 도반의 여러분께 깊은 감사를 드립니다.

2020년 2월

성인제

차례

제 1 부
그 날 만나요

가을 손님

손님이 왔습니다
반가운 손님이 왔습니다
아주 먼 길을 돌아 국화 향 가득한
이 계절에 손님이 나를 찾아왔습니다
나는 반가운 마음에 버선발로 달려 나와
손님을 반갑게 맞이하였습니다
두 손을 마주잡고 반가운 눈인사를 나누며
코스모스 활짝 핀 꽃길을 걸으며
그동안의 그리운 마음을 소곤소곤 파랗게 속삭입니다
나뭇잎 곱게 물든 산길에서 오색의 단풍 향을 맡으며
향긋한 이야기꽃을 피웁니다
아름다운 손님과 나누는 이야기에는 인자한 미소가 가득
합니다

손님의 인자하고 달달한 미소에 마음이 편해짐을 느낍니
다
그 자비롭고 인자한 미소가 이 계절을 더욱더 풍성하고
따스하게 합니다
아름다운 가을 손님과 함께 보낸 이 시간이 나에게는 너
무나 소중한 선물입니다
따스하고 고운 시간을 저에게 선물해 주셨으니까요!

가을 여행

문밖에 구월의 바람이 서성거리면
가을 여행을 간다

시작노트와 설레는 마음을 들고
먼 나라 이웃 나라로
멀리 있지만 멀지 않은 그곳으로
가을 친구를 만나러 간다

멀고도 가까운 그곳으로
몸은 멀리 있지만 마음은 가까운 친구를 만나
바람을 불러 가을꽃을 피우고
차 한 잔 앞에 놓고 밤새 이야기를 나누리라

멀지만 가까운 이웃 나라로 여행을 떠난다
먼 나라 친구와 멀지 않은 동행을 꿈꾸며
먼 여행을 간다

시 한 편과 아름다운 추억 하나를 들고
먼 나라 이웃 나라로 설레는 길을 떠난다

비슷한 듯 다른 먼 나라 이웃 나라로 날아간다
지금까지 경험해 보지 못한 먼 나라 이웃 나라
은하수 같은 꿈이 열리고
가을 햇살과 같은 만남이 기다리고
인생의 아름다운 한 날을 위하여
가을 여행을 간다

가을 추억

어느 가을날
나는 추억을 만든다
추억을 만들러 가을이 아닌 곳을 향해 간다
여름 속으로 가는 추억 여행길

여름 안에서 만드는 나만의 여행
내가 있는 곳은 가을이지만 가을이 아닌 곳으로 간다
나는 이곳에서 벗어나 열기 가득한 해변으로 간다
가을은 깊어 가지만 나는 다시 여름 속으로 여행을 간다

오늘은 가을역에서 출발해 내일 여름역에 도착
선선한 오늘에서 무더운 내일로 설레는 여행을 간다

그 안에서 여름 친구와 만들어 갈 후끈한 추억

생각만 해도 마음 설레는 행복한 여행

이 마음 설레는 여행이 기다려지는 오늘이다

가을 아침

아침이 밝아 온다

선선하고 기운찬 아침이

더위에 목마르고 지친 지난날을 뒤로한 채

선선한 새로운 아침이 밝아 온다

나는 이 선선한 느낌을 좋아한다

이 선선하고 뽀송뽀송한 가을 느낌

들판에 피어오르는 황금 향기가 코끝을 간지럽힌다

구수한 숭늉 같은 향을 맡으며 가을에 취해 본다

이 풍성하고 선선한 계절은 하늘이 우리에게 주는 축복
의 선물이다

나는 언제나 선선하고 구수한 이 향을 함께 나누며

이 가을의 뽀송뽀송하고 풍성한 행복을 많은 이들과 공
유할 것이다

겨울 마을

추운 겨울 나는 간다
따스한 사람들이 살고 있는 곳으로
그곳은 힘들고 지친 사람들이 있는 곳이다
힘들고 지쳐 마음까지 파고든 추위를 녹이는 곳
동터 같은 사람들의 마음을 따사로운 손길로 어루만져
주는 곳
이곳은 온정 넘치는 온화한 손길들이 추위에 지치고 상
처받은 몸과 마음을 살포시
어루만져 주며 훈훈한 온기로 피멍이 든 몸과 마음을 부
드럽게 치유해 주는 곳
우리는 이곳에서 온화한 이야기를 나누며 훈훈한 시간을
보낼 것이다
이 마을에서 온화한 마음으로 서로의 상처를 감싸며
이 겨울을 보낸다면
온화하고 행복한 겨울이 될 것이다
그 온화한 행복이 있는 이곳이 바로 겨울 마을이다

겨울 바다

먼 그곳 겨울 바다로 가자

답답한 방 안에만 있지 말고 가자

그곳으로 가서 답답한 가슴을 바람에 날려버리자

지금 그곳은 춥다

하지만 지금의 그곳은 따뜻하다

그곳은 그런 곳이다

차가운 바람으로 나를 밀어내지만

따뜻한 가슴으로 나를 품어주는 곳

나는 그런 너를 좋아한다

아니 그런 너를 사랑한다

때로는 나를 차갑게 외면하지만

때로는 따뜻한 마음으로 나를 어루만져주는 곳

활기찬 기운이 가득한 그곳으로 가자

그곳으로 가서 상처받고 지친 마음을 치유하자

그리고 그곳에서 편안한 안식을 취해보자

그곳은 언제나 나를 기다려주는 어머니와 같은 존재이다

언제나 나를 기다려주는 어머니 품속 같은 곳 그곳으로
가자
겨울 바다로 즐거운 여행을 떠나자

겨울 바다

겨울 동행

길을 걸어갑니다
마음 따스한 님을 찾아
눈 쌓인 길을 걷습니다

눈길을 님과 함께 걷습니다
님과 함께 걷는 이 길은 따스합니다
님이 곁에 있다는 것만으로도 온기가 전해집니다
님의 온기 가득 느끼며 걷는 길은 즐겁습니다

그것은 아마 님이 따스한 마음을 지니신 분이라 그럴 것
입니다
님의 따스한 마음을 언제까지나 느끼고 싶습니다
님과의 이 동행이 내 기억 속에 남아 행복을 느낄 수 있
게 말입니다
이 아름답고 따스한 동행은 언제나 나에게 즐거운 느낌
으로 남을 수 있을 것입니다

나는 행복합니다

님과 이렇게 길을 걸을 수 있어서

나는 즐겁습니다

님의 따뜻한 온기를 느낄 수 있어서

이 행복하고 즐거운 동행이 언제나 계속되기를

겨울 봄

겨울은 가고
봄은 오는데
나는 중간에 애매하게 있다
봄도 아니고 그렇다고 겨울도 아닌
몸은 봄을 느끼지만 마음 한구석에 자리한 겨울은?
이 마음 나도 모르게 슬퍼진다.
마음 한구석에 자리잡고 심술을 부리는 동장군을
어떻게 달래서 내보내야 할지?
동장군아 어서 가라 내 마음에 봄이 찾아오게
애매한 위치에서 봄으로 행선지를 빨리 정해야지
꽃 피고 새 우는 춘삼월이 오기 전에

고독 한 잔

혼자 있다는 외로움이

부모 잃고 혼자인 어린아이처럼

자식 없이 혼자인 노인처럼

언제나 나에게 밀려오는 고독

아침 일찍 고독 한 잔을 마신다

달콤쌉싸름한 진한 고독 한 잔을

나는 어제부터 고독한 남자가 됐다

그래서 난 아침부터 고독을 마신다

블랙 고독은 너무 써서 달콤한 고독을

한 스푼 가미해 달콤쌉싸름한 고독을 즐긴다

고독한 아침 고독 한 잔으로 고독한 하루를 시작하려 한다

그 달콤쌉싸름한 고독 한 잔이 나의 외로움을 지워줄 꺼

라 믿으며

국밥

배가 고프다

나는 항상 허기져 있다

무엇이든 먹어야겠다.

이 배고픈 시장기를 달래기 위해서는

오늘도 시래기 국밥 한 그릇으로 허기를 달래자

하지만 나는 배가 고픈 것이 아니라

마음이 고픈 것이다

사랑이 고픈 것이다

그대의 따뜻한 사랑 한 수저 마음 한 모금이

헐벗고 굶주린 나에게는 절실한 것이다

내게는 필요하다

뜨끈한 국밥 같은 그대의 마음과 사랑이

국화

국화꽃이 필 무렵 내 마음 설레고
그윽한 국화 향에 취해 깊어가는 가을
하늘하늘 흔들리는 코스모스 내 마음도 흔들어 놓네
달콤한 홍시 하나 따서 입에 넣으면 행복한 맛 가득 퍼
지네
가을은 이렇게 국화 향과 함께 내 곁에 머무네

그 마음

그 마음이 행복이네
아름다운 그 마음이
그대 마음은 아름답다
나는 그대를 사랑한다
그대의 착한 마음을
그대 아름다운 생각이
나에게 행복을 가져다준다
착하고 아름다운 그대가
나를 행복하게 만든다
나에게 나눠준 행복은
아름다운 행복이 되어
기쁨만 가득하게 한다

그 날 만나요

우리 그 날 만나요
설레는 마음으로 우리 만나기로 해요
당신을 만난다는 생각에 가슴이 콩닥콩닥 뜁니다
가을향기 아름답고 당신의 모습 그윽한 이 계절에
우리 설레는 마음으로 그 길을 함께 걸어보아요
아름답고 그윽한 그 날 우리 만나기로 해요
당신은 나의 설레임이고 나 또한 당신의 설레임이고 싶
습니다
나는 당신과 함께 행복한 그 날을 보내고 싶습니다

그대 미소

그대가 보고 싶습니다.
인자하고 편안한 미소의 그대가
그대는 항상 내 마음에 있습니다
하지만 나는 그대를 볼 수 없습니다
눈으로 볼 수는 없지만 마음 한편에
그대가 자리하고 있습니다
자비로운 마음과 인자한 미소로
항상 나를 편안하게 해줍니다
그대의 미소는 내 안에 있는 번뇌를
저 멀리로 내던져 나를 극락으로 이끌어 줍니다

그대

우연히 스치듯 만난 그대

스쳐가는 인연이라 생각했지만

그대는 내 마음에 머무는 인연이 되었네!

그냥 스쳐가는 인연이었으면 좋았을 텐데

왜 내 마음에 머물러 날 아프게 하는가?

그냥 스쳐가는 바람이었으면 좋았으련만

바람처럼 내게 다가와 내 마음 흔들고 소리 없이 떠나간

그대

사랑으로 찾아와 상처로 떠나간 그대

나는 그 아픈 상처 부여잡고 눈물만 흘린다

아프다

슬프다

상처 난 마음 아프고

상처 주고 떠난 그대 뒷모습만 바라볼 수밖에 없어 슬프다

그 아프고 슬픈 마음 무엇으로 치유하나?

제2부
그렇게 하자

그렇게 하자

그래 그렇게 하자
마음 가는 대로 그렇게
그래 그렇게 하자
몸 가는 대로 그렇게
마음이 시키면 시키는 대로
몸이 시키면 시키는 대로 그렇게
이 눈치 저 눈치 다 보고
이것저것 다 따지고 언제 그것을 하겠는가?
그냥 미친 척 모자란 척 그렇게 하자
몸이 마음이 시키는 대로 말이다
내 몸이고 내 마음인데 내 의지대로는 한번은 해봐야지
그래 그냥 그렇게 해보자

그 분

너의 그 분은

나의 그 분이기도 하다

너와 나의 그 분은 모든 이를 사랑하신다

나 또한 그 분을 사랑한다

너도 그 분을 사랑하니?

그 분은 항상 그곳에 계신다

나 또한 그곳에서 그 분과 함께 있다

그 분이 계신 곳이 내가 있는 곳이고

내가 있는 곳이 그 분이 있는 곳이기 때문이다

그 분과 함께 있으면 마음이 편안해진다

그 분과 함께 있는 그 시간이 가장 행복해지는 시간이기

때문이다

기분이 좋아지는 봄

기분이 좋아집니다.

봄에는 기분이 좋아집니다

봄이면 왜 기분이 좋아질까

생각해 보니 그건 님 때문입니다

봄이면 나를 찾아오는 님

그 계절이면 언제나 찾아오는 고운 님

님 생각에 마음이 설레입니다

님 만날 생각에 봄이 기다려집니다

오늘도 난 님 생각에 마음이 즐겁습니다

봄이 오면 기분이 좋아집니다 행복해집니다

하지만 님을 만나면 님에게 말 한마디

건네지 못하고 그냥 수줍은 미소만 짓습니다

그냥 님을 바라보기 부끄러워 님 향한 마음만 전할 뿐

나는 아프다

아프지만 아프지 않다
슬프지만 슬프지 않다
아프지만 아파해서는 안 되고
슬퍼도 슬퍼해서도 안 된다
아프다
슬프다
아프고 슬프지만
아파하거나 슬퍼해서는 안 된다
아파하거나 슬퍼할 여유가 내게는 없다
아프고 슬프다
아파도 아파할 수 없고 슬퍼도 슬퍼할 수 없는 현실이

그렇게 하자

날개

날개가 있었으면 좋겠습니다

나에게도 새들처럼 날개가 있었으면 좋겠습니다

날개가 있다면 저 파란 하늘을 마음껏 날 수 있을 텐데

그리고 먼 곳에 살고 있는 친구도 만날 수 있을 텐데

아쉽게도 나에게는 날개가 없습니다.

날개가 없어 파란 하늘을 날 수도 없고 먼 곳에 사는 친
구도 만날 수 없습니다.

누가 나에게 날개를 달아 주었으면 좋겠습니다

파란 하늘을 마음껏 날 수 있고 친구도 만날 수 있게

나는 날고 싶습니다

날아 보고 싶습니다

나는 늘 가슴이 답답합니다

새장에 갇힌 새처럼 다람쥐 쳇바퀴 돌듯이 반복되는 일상

이 답답한 일상에서 벗어날 수 있게 나에게 날개를 달아
주십시오!
내가 새들처럼 마음껏 하늘을 날 수 있게

그렇게 하자

내 친구 에어컨

무더운 여름 나를 찾아오는 너
햇살 뜨거운 낮에도
후끈 달아오른 밤에도
너는 나에게 시원한 바람을 선물한다
강렬한 햇살이 온몸을 땀으로 적셔도
후끈한 밤의 열기가 마음을 지치게 해도
너의 바람이 나의 몸을 뽀송뽀송하게 해주고
지친 마음의 열기까지 시원하게 식혀준다
너의 바람은 쾌적하고
너의 바람은 솜사탕처럼 뽀송뽀송하고 부드럽다
뜨거운 한낮의 폭염에도 잠 못 이루는 밤 열대야에도
나의 땀으로 범벅이 된 몸과 마음을 뽀송뽀송하게 해준다
언제나 나에게 솜사탕처럼 부드러운 쾌적함을 선물해주
는 나의 친구

내비게이션

나는 길을 잃었다
길을 잃고 이리저리 헤매고 있다
길을 찾아 줄 그 무언가가 필요하다
내비게이션 내비게이션이 필요하다
길을 잃은 나에게 길을 찾아 줄
행복의 길을 찾아 줄 내비게이션이
행복으로 가는 최단경로를 찾아 줄
나는 지금 행복의 경로에서 벗어나
불행의 경로로 접어들고 있다
나는 내비게이션이 필요하다
이 불행의 경로를 벗어나게 해줄
불행의 경로에서 벗어나 다시
행복의 경로를 검색해 행복 경로로
나를 안내해 줄 내비게이션이 필요하다
지금 내게 필요한 것은 바로 성능 좋은 내비게이션이다

그렇게 하자

눈부시게 미치도록

눈부시게 아름다운 날은 오늘이고
미치도록 행복한 날은 내일이다
눈부시게 아름다운 곳에서 미치게 행복하고 싶다
눈이 부신 그대와 함께 있으면 미치도록 행복할 것 같다
눈부시게 아름다운 날이 왔으면 좋겠다
미치도록 행복한 날이 왔으면 좋겠다
이미 눈이 부시고 미치도록 아름답고
행복한 날이 와 있는지?
우리가 그것을 느끼지 못하고
그냥 흘려보내는지 모른다
나는 눈부시게 미치고 싶다

달콤한 향 가득

달콤한 향 가득한 솜사탕처럼

입 안 가득 퍼지는 달달한 맛

설레는 마음 하얗게 내게 머물러

나의 외로움 달래주는 달콤함

이제 하얀 달콤함이 외로운 내 곁에 있네

솜사탕처럼 부드러운 달콤함이 내 맘을 설레게 한다

솜사탕 향기처럼 부드럽게

그렇게 하자

당신을 통해

저는 당신을 통해 새로운 세상을 봅니다.

제가 미처 생각하지 못하고 경험하지 못한 세상이기에

너무 신선하면서도 충격적인 세상은 내게 많은 것을 일

깨워 줍니다.

당신을 통해 알게된 새로운 세상은 내 안에 있던 편견이

란 두 글자를 지웁니다.

당신이 할 수 있는 일이면 나도 할 수 있는 일이라는 것

을 알려줍니다.

나도 당신처럼 할 수 있다고 해낼 수 있다는 것을 저에

게 알려줍니다.

저는 당신에게 많은 것을 배우고 느낍니다.

고맙습니다 감사합니다

미처 알지 못했던 것을 알게 해줘서

돌아왔다

돌아왔다

꿈에서 현실로 돌아왔다

달콤한 꿈의 세계에서 힘겨운 현실 세계로

어제는 달콤한 꿈의 세계였지만

오늘은 힘겹고 피곤한 현실이다

아!~ 다시 돌아가고 싶다

달콤하고 포근한 꿈의 세계로

하지만 꿈은 꿈일 뿐이고 현실은 현실일 뿐이다

다만 현실을 꿈같이 만들려는 노력이 있을 뿐이다

달콤한 꿈 같은 현실 포근한 꿈 같은 현실 말이다

그렇게 하자

동행하고 싶은 그대

동행을 하고 싶습니다

그대와 동행을 하고 싶습니다

외로이 가는 길은 쓸쓸합니다

그대가 함께 동행을 해주면 좋겠습니다

그대가 동행을 해준다면 차가운 눈길도

따가운 가시밭길도 따뜻한 꽃길처럼 느껴질 것입니다

그대와 동행을 하면서 평소 그대에게 전하고 싶었던 마

음을 전하고

고운 이야기들을 속삭여 주고 싶습니다

하얀 겨울날도 무더운 여름날도 그대와 함께하고 싶습니다

나와 따뜻한 동행을 해주십시오

나와 편안한 동행을 해주십시오

저는 그대와 꼭 동행을 하고 싶습니다

마음이 고운 날

고운 마음 가득한 날
고운 햇살이 가득하고
고운 바람에 실려온
고운 향기는 마음마저 곱게 물들이네
꽃 향기 고운 날 벌 나비 날아들고
그 벌 나비와 고운 시간 보내니
곱고 고운 꽃향기에 나는 행복해지네
곱게 물든 마음 가득한 날
행복이 내게 머무네!

그렇게 하자

봄 바다의 추억

바다에 간다

봄 바다에 간다

마음속 응어리를 안고 간다

그곳에서 마음 한편에 자리잡고 있던 번뇌를 푸른 파도
에 던지고

오랜 시간 동안 나를 억눌렀던 관습들도 하얗게

부서진 파도 위에 내려놓고

그리고 좋은 인연들이 함께 바닷가를 걸으며 마음을 나
눈다

이렇게 소중한 인연들과 탁 트인 수평선에서 평화로운

시간을 보내니 즐겁다

좋은 인연으로 만나 즐거운 시간을 보내니 따스한 행복
이 가득 느껴진다

고운 햇살 고운 바람 따스한 이야기가 어우러져

소소한 기쁨을 느끼며

어느새 우리의 마음 한편에 바다가 자리한 듯 편안해진다

나는 언제나 따스한 이 바다를 마음 한편에 담아두려 한다
그래야 힘들고 지칠 때 언제든 꺼내어 그 향을 맡을 수
있을 테니
좋은 인연들과 함께했던 그 행복한 봄 바다의 추억을 언
제나 간직할 것이다

바람과 봄

봄바람이 불어온다

살랑살랑 마음을 스쳐가는 바람

하얀 꽃잎 눈처럼 내리는 날

사랑도 내려 마음을 설레게 한다

하얀 눈꽃 같은 그대가 마음에 내려

마음을 흔들어 놓는다

오늘은 그대와 사랑에 빠지는 날이다

봄바람처럼 마음을 간지럽히는 그대 모습

그대가 오늘 내 마음에 꽃잎처럼 내려

나는 행복해진다

제3부
선물

봄 하루

봄하고 하루를 지냈다
바람도 부드럽게 함께해주었다
이제 어느 봄과 하루를 지냈을 뿐인데
온통 봄의 빛으로 설렌다

겨울처럼 얼었던 나의 가슴에도 봄이 찾아왔다
금방 온 봄하고 하루를 지냈다
빙하가 두텁던 가슴에 봄이 와
내 마음의 빙하가 녹아
봄이 강물처럼 출렁인다

가벼이 오는 봄의 길 위에서
꽃 곱게 피는 봄하고 하루를 걸었다
이제 막 온 봄에게 내 인생의 봄소식을 받았다
봄하고 보낸 하루는 행복이 가득해
사랑도 봄과 보낸 하루와 같아
봄하고 사랑하고 봄날을 살았다

봄날 아침

아침이다

봄날 아침

고운 향이 가득하다

싱그러운 봄 향기

마음이 두근두근

고운 옷 그 자태에

황홀해진 마음

봄 처자 같은 그 모습에

마음을 송두리째 내어 준

그 모습이 아름답다

내 모든 것을 내어 주어도 아깝지 않을 만큼

오늘은 아름답고 좋은 향이 있는 봄날 아침

봄이 왔다

봄이 왔다
이 마음에도 봄이 왔다
봄이 물들어 온다.
동터 같은 이 마음에도
봄이 물들어 온다
봄 향기 가득한 새봄
봄 물들은 마음에도
훈훈한 기운이 물들어
봄꽃 만발한 들판에
벌 나비가 찾아들어
이 마음을 설레게 한다.
사랑 가득한 이 마음으로
봄을 사랑하면 행복이 내게 물든다
봄바람 꽃바람 불어오는 날
봄이 나에게 온다

비타민

피곤하다

몸과 마음이 모두

비타민이 필요하다

지친 몸을 회복시켜 줄 비타민 가득한 레몬

지친 마음을 회복시켜 줄 비타민 가득한 음악

나는 피로회복제가 필요하다

몸의 피로뿐만 아니라 마음의 피로까지 풀어줄

새콤달콤한 피로회복제가

비타민 가득한 음악을 들으며 상큼한 레몬을 맛보면

내게 있던 피로가 저 멀리 달아날 것 같다

지금 나는 눈을 감고 귀로 비타민을 시식 중이다

비타민 가득한 음악 한 곡이 나의 피로를 저 멀리로

사랑하기로 했습니다

저는 오늘부터 당신을 사랑하기로 했습니다

저는 당신의 밝고 고운 미소를 사랑하게 됐습니다

저는 당신의 맑고 고운 마음을 사랑하게 됐습니다

그래서 저는 오늘부터 당신을 사랑하기로 했습니다

당신은 너무나 아름답고 향기롭습니다

당신의 밝은 미소와 고운 마음이 저를 당신에게로 인도

합니다

저는 오늘부터 당신만을 사랑할 것입니다

저의 마음의 빈자리를 당신이 채워주십시오

제가 당신을 사랑하듯 당신도 저를 사랑해주십시오

오늘부터 당신의 사랑을 받고 싶습니다

우리 오늘부터 1일입니다 1일 하고 싶습니다

지금부터 이 순간부터 말입니다

사랑합니다

나는 그대를 사랑합니다
그대도 나를 사랑할까요?
그대가 나를 사랑하지 않는다 해도
나는 상관없습니다.
내가 그대를 사랑하기 때문에
사랑은 받는 것이 아니라 주는 것이기 때문입니다
나는 행복합니다
당신을 사랑할 수 있어서 그리고 고맙습니다
내가 당신을 사랑할 수 있게 항상 그 자리에 있어줘서

선물

햇살 고운 11월의 어느 날
나는 그대에게 가을을 선물했다
맑고 파란 하늘을 선물하고
아름다운 가을 길을 선물했다
싱그러운 가을 향을 선물했고
설레이는 마음을 선물했다
나는 그대와 이 가을 소풍을 떠났다
맑고 파란 하늘에 가을 향 가득한 그 길로
김밥 몇 줄 챙겨 설레는 마음 가득한 소풍 길
나는 그대에게 행복한 가을을 선물했고
그대는 나에게 마음 설레이는 소풍 길을 선물했다
우리는 행복 가득한 11월의 햇살 고운 날을 선물 받았다.

소리 없는 봄

봄날은 왔다
따스한 봄날은 왔다
이 훈훈한 봄 분위기
요란한 소리를 내며 찾아온 봄
요란하게 봄이 왔지만
언제 다시 조용히 소리 없이 갈지
봄날이 계속 지속되기를 바라는 마음 간절하지만
봄이란 놈은 이런 내 마음을 아는지 모르는지
오늘 요란하게 왔다
내일 소리 없이 갈 수도 있는 것이 봄이다
이번에는 그렇게 소리 없이 가지 말았으면 좋겠구나!

소소한 이야기

나는 소소하다

나는 특별하지도 대단하지도 않다

나는 그냥 소소하다

소소한 것에 만족하고

소소한 것에 행복을 느낀다.

나는 소소한 사람이니까

소소한 것에 만족할 줄 알아야 행복해진다

소소한 사람은 언제나 행복하다

작은 것에도 감사하고 행복을 느낄 줄 알아야 행복한 삶

이다

소소한 행복이 진정한 행복이기 때문이다

그래서 난 소소한 삶을 추구한다

손님

손님이 온다
코스모스 핀 꽃길로 손님이 온다
알록달록한 코스모스 향 가득 안고
손님이 찾아온다
하늘거리는 코스모스 길에서 고운 행복 가득한
이야기를 나누며
우리는 어느새 고운 사이가 되어 가네
그윽한 국화차 한잔을 나누어 마시며
우리는 깊어가는 국화의 계절을 이야기한다
코스모스 국화꽃 만발한 이 계절에

손님이 온다
높은 하늘의 솜사탕 구름 타고 손님이 온다
순백의 하얀 발걸음으로 손님이 온다
우리는 솜사탕같이 하얗고 달콤한 이야기를 나누며
하얗고 달콤한 행복을 느낀다
높은 하늘에 솜사탕 구름 떠가는 이 계절에

쉬어가고 싶다

쉬어가고 싶다
갈 길은 멀지만 여기서 잠시 쉬어가고 싶다
잠시 숨을 고르며 마음을 추수이며 쉬고 싶다
하지만 여기서 쉬어갈 마음의 여유가 없다
마음이 급해 잠시 쉬어갈 여유도
급할수록 돌아가야 하는데 우리는 그럴 여유조차 없는
것이다
쉬어가자 잠시 쉬어가자 쉬면서 마음의 여유를 찾아보자
돌아가자 급할수록 돌아가자 돌아가며 복잡했던 생각들
을 정리하고
쉬어가자 돌아가자 잠시라도

스며드는 외로움

외로움은 뼈속 깊이 스며들고

몸서리치게 외로움을 느끼는 이 밤

나는 외로움을 지우려 이 생각 저 생각에 잠 못 든다

항상 내 곁에 머무는 외로움은 나의 마음을 시리게 한다

늘 홀로 있다는 사실에 나는 항상 한기를 느낀다

이 감당할 수 없는 마음의 한기에 초여름 밤 가슴을 여

민다

나는 춥다

여름에도 겨울에도

뼈속 깊이 스며드는 외로움이 나를 춥게 만든다

추운 여름밤은 깊어만 가고

추위에 잠 못 든다

여름 향기

너의 열기 가득한 밤 잠 못 이루고
풀벌레 울음소리가 정겹게 들리고
나는 그 열기 가득한 소리에 잠을 청해보지만
잠은 오지 않고 땀만 쭈르르 흘러내리네
바람 한 점 없는 여름밤은 나를 잠 못 들게 하네
한참을 이리 뒤척 저리 뒤척이다
창밖 별을 헤며 잠이 들면
너는 꿈속에 찾아와 사랑을 속삭이네
꿈속에서 너와 행복한 시간을 보내면
밤의 열기도 풀벌레 소리도 별빛 속에 사라진다
행복한 꿈속에서 너와 달콤한 이야기를 나누며
온 밤을 하얗게 새운다

제4부
행복한 기다림

오늘은 봄

오늘은 봄이다
햇살도 포근하고
바람도 상큼한
오늘은 봄이다

오늘은 봄이다
봄꽃들 향기롭고
봄 향기 아름다운
오늘은 봄이다

오늘은 봄이다
당신 마음 행복하고
당신 마음 설레이니
오늘은 봄이다

오늘은 봄이다
당신 모습 화사하고
당신 모습 눈이 부셔서
오늘은 봄이다

오늘은 봄이다
고운 햇살 가득하고
고운 바람 불어오니
오늘은 봄이다

오늘은 봄이다
고운 햇살 아래
고운 당신과 향기로운 꽃길을 걸으니
오늘이 봄날이다

오늘은 슬프다

오늘은 슬프다
내일도 슬플까?
어제도 슬펐는데
내일까지 슬프면
정말 슬플 것이다
내일은 기뻤으면 좋겠다
아니 내일은 기쁠 것이다
내일은 기뻐야한다
그래야만 내일의 희망을
이야기할 수 있다
오늘까지만 슬퍼하자

완벽한 날

바람도 햇살도 완벽한 날
그대가 있다면 더 완벽한 날
싱그러운 햇살이 좋은 날
상큼한 바람이 있다면 더 좋은 날
오늘은 사랑하기 좋은 날
싱그러운 햇살과 상큼한 바람이 있어
사랑하기 좋은 날
오늘은 완벽한 날
그대와 함께 있어 더욱 완벽한 날

외로운 달빛

외로운 달빛 아래 홀로 서 있네

외로운 달빛처럼 내 마음도 외로워라

차가운 베란다 난간에 홀로 서 외로운 달빛 바라보네

저 달은 외로운 내 마음을 알까?

외로운 달빛 바라보며 눈물 흘리는 이내 마음을

오늘은 달빛이 더욱 외로워 보이는구나!

아마 그것은 지금 내 마음이 외롭기 때문일 게다

모두 잠든 이 새벽 외로운 달빛과 벗하며 외로움을 달래

본다

이쪽저쪽

봄은 이리로 오고

겨울은 저리로 간다

오랫동안 심술부리던 동장군은 동터로 물러가고

어여쁜 봄 처녀가 사뿐사뿐 꽃길로 다가오네

봄 처녀 어여쁜 자태에 두근두근거리는 마음

고운 옷 갈아입은 봄 처녀가 마음을 설레게 한다.

봄바람에 실려 온 봄 향기가 상큼한 봄을 느끼게 하는구

나!

아직은 마음만 봄

어서 꽃바람 부는 따뜻한 날이 왔으면

좋아요

좋아요를 눌렀다
그대에게 좋아요를 눌러줬다
그냥 좋아요만 눌렀다
사랑해요를 누르고 싶었지만
사랑해요 대신 좋아요를 눌렀다
그대를 사랑하는 내 맘을 들킬까 봐
좋아요만 눌렀다
하지만 이제는 사랑해요를 누르고 싶다
그대가 내게서 멀어진다 해도
사랑해요를 누르고 싶다
사랑해요를 누를 것이다
이제는 내 마음을 속이지 않을 것이다
이제는 사랑해요만 누를 것이다

좋은 인연

좋은 인연을 만난다

이 푸르른 5월의 추억을 만들어 간다

꽃바람 부는 작은 시냇가

향긋한 봄을 주제로 이야기꽃을 피워간다

소곤소곤 파란 이야기들을 나누면

어느새 우리의 마음은 파란 하늘색으로 물들어 간다

고운 날 오후 벗과 시냇물에 발을 담그며

행복 넘치는 노래를 함께 부르면

봄의 훈훈함이 마음 가득 느껴진다

온몸에 전해오는 이 느낌 따스하다

온몸에 전해오는 향긋한 느낌 좋다

이 향긋하면서도 따스한 느낌을 나의 기억공간에 저장해

둔다

그 행복한 향기 가득한 순간을

취하고 싶다

취하고 싶다

만취하고 싶다

국화 향에 취하고 싶고

가을 정취에 취하고 싶다

그리고 아름다운 그대에게 취하고 싶다

높고 푸른 하늘은 날 취하게 하고

울긋불긋한 단풍잎은 날 다시 만취하게 한다

오늘은 행복하다

행복한 가을 향이 나를 행복하게 한다

오늘은 그대에게 행복하게 취하고 싶은 날이다

오늘은 취해보자 만취해보자

친구해요

우리 친구해요

우리 좋은 친구해요

나는 당신과 친구가 되고 싶습니다

나는 당신의 친구하고 싶습니다

슬플 때도 기쁠 때도

함께하는 그런 친구가 되고 싶습니다

우리 행복한 친구해요

우리 친구해요

우리 편한 친구해요

나는 당신의 편한 친구 되고 싶습니다

나는 당신과 편한 친구하고 싶습니다

즐거운 날 함께 깔깔 웃을 수 있는 그런 친구하고 싶습
니다

우리 즐거운 친구해요

행복한 기다림

하얀 마음

따뜻한 봄날
따스한 벚꽃잎이 내려
온 세상을 하얗게 물들이네
하얀 고운 색 내 마음에도 내려
내 마음도 고운 마음 되네
하얀 마음 내 마음
고운 마음 내 마음
하얗고 고운 마음
언제나 흰 눈 같은 내 마음
곱고 하얗게 내게 머무는
하얀색 따뜻한 마음
티 없이 하얗고 순수하게
내게 머무는 고운 마음
언제나 내게 머무는 하얀 마음

항상

네! 전 항상 여기에 있습니다
당신이 그곳에서 나를 부르기 때문에
저는 항상 여기에 있습니다
아름다운 당신이 그곳에 있기 때문에
저는 항상 여기에 있습니다
당신의 아름다운 목소리가 나를 여기에 머물게 합니다
당신의 아름다운 마음이 나를 항상 그곳에 머물게 합니다
그래서 저는 당신 곁에 항상 머물러 있습니다

행복 나무

행복이 열리는 나무가 있었으면 좋겠다
행복의 열매가 가득 열리는 그런 나무가
마음이 힘들고 지칠 때마다 행복의 열매로 행복을 충전
하고
삶의 활력을 줄 수 있는 비타민 같은 나무가
나는 지금 많이 힘들고 지쳐 있어 행복 충전이 필요하다
행복을 느끼며 내 안에 있는 불행을 몸밖으로 보내고
행복과 활력이 넘치는 기운을 몸속 가득 받아들여놓게
그래 나무를 심자 내 안에 행복의 나무를 심어 행복해지자
행복의 나무 한 그루를 심어 행복이 가득 열리게 하자

행복의 열매가 많이 열리면 많은 이들과 행복을 나누며
행복한 세상을 만들어 모두 행복을 공유할 수 있게 하자
우리 모두 다 마음의 행복 나무를 한 그루씩 심어보자

행복의 바람

바람아 불어라

바람아 불어라

행복의 바람아 불어라

행복한 바람이 불어오면 나는 행복해지지

내게 있던 불행도 행복한 바람이 멀리 날려버리지

행복한 바람이 있어 나는 행복하오

행복한 바람이 나의 불행을 저 멀리 날려주어 행복하오

나는 오늘 행복하오 행복한 바람이 행복을 나에게 몰고

와줘서

행복한 바람이 나를 행복하게 만드니 행복하오

바람아 불어라

바람아 불어라

사랑의 바람아 불어라

사랑의 바람이 불어 내가 모두를 사랑할 수 있게

사랑의 바람이 불어 너의 아픈 마음을 어루만져 상처를

치유할 수 있게

오늘 사랑의 바람이 불어 불행하고 상처받은 영혼을 위
로할 수 있게
이 행복한 바람이 계속 불어

햇살 고운 날

고운 햇빛이 쏟아지는 날

고운 햇빛 쏟아지는 거리를 걸으며

깊어가는 가을을 느껴본다

고운 햇살이 쏟아지는 오늘

높고 푸른 하늘 조각구름 배 떠간다

노젓는 뱃사공 없이도 잘 흘러가는 구름 배

햇살 쏟아지는 날 저 구름 배 타고 멀리 떠나고 싶어라

쏟아지는 햇빛 맞으며 구름 배 타고 어디론가 떠나고 싶

어라

눈부신 햇살 가득한 날

쏟아지는 햇살에 흠뻑 젖어보고 싶어라

고운 햇살 가득한 날에

행복한 기다림

기다립니다

그대를 기다립니다

항상 그 자리에서

항상 그 마음으로

그대만을 기다립니다

이제나 오실까?

저제나 오실까?

초조하지만 행복한 마음으로

그대가 오시기를 기다립니다

언젠가는 이 기다림이 끝나겠지요?

그대가 오시는 날

나는 그대를 행복한 마음으로 기다립니다

항상 그 마음 그 자리에서

홍시

가을이 기다려진다.

달콤한 계절이 기다려진다.

오늘 문득 생각나는 그 계절

햇살 좋은 날 툇마루에 앉아

마당 한편에 있는 나무를 바라본다.

나뭇가지에 달린 빨간 열매 하나가 눈에 들어온다.

그것을 따서 한입 넣으면

입안 가득 샤르르 녹는 그 맛

너무 달콤하고 맛있다.

사탕보다 달콤하고 푸딩보다도 부드러운

이것이 바로 그때의 빨간 열매의 맛이다.

나는 그 맛을 보기 위해 언제나 그때를 기다렸는지 모른다

그러나 지금의 그것을 먹어보지만 예전의 그 맛은 아니다

아마 그때 앞마당 나무에서 딴 그것이 아니어서 그럴지도

나는 그때의 그 맛이 그립다.

사탕보다 달콤하고 푸딩보다도 부드러웠던 그때 그 빨간

맛이

꽃길

꽃길만 걷고 싶었습니다.

가시밭길이 아닌 꽃길만 걷고 싶었습니다.

하지만 저는 지금 꽃길이 아닌 가시밭길을 걷고 있습니다

꽃길을 찾으려 애를 쓰지만 꽃길은 보이지 않고

가시밭길 위에 있습니다.

언제쯤 얼마나 더 가야 기다리던 꽃길을 만날까요?

가시에 발이 찔린 저는 저는 만신창이가 되었습니다.

이제는 꽃길만 걷고 싶습니다.

향기롭고 달콤한 꽃길만 걷고 싶습니다.

꽃이 만발한 그런 꽃길 말입니다.

꽃길만 걷고 싶었습니다.
아니 이제는 꽃길만 걷겠습니다.
가시밭길이 아닌 꽃길만 걷겠습니다.
가시밭길도 꽃길이라 생각하고 걸으면
언젠가는 꽃길이 나올 것입니다
길을 걸으며 좋은 생각들만 한다면
반드시 눈앞에 꽃길이 펼쳐질 것입니다.

이제 저는 꽃길만 걷습니다.
아직도 가시밭길은 무성하게 그대로 있지만
가시밭길을 뒤로한 채 꽃길만 걷습니다.
향기롭고 달콤한 꽃길만 걷습니다.
꽃이 활짝 핀 아름다운 그런 꽃길 말입니다.

행복한 기다림

어제 가을을 보냈다

어제 가을을 보냈다

풍성했고 쓸쓸했던 그를 어제 보냈다

그와 함께했던 행복한 순간들을 뒤로한 채

그는 이제 기억 저편으로 떠났지만

그가 떠난 빈자리는 또 다른 그가 채운다

나는 이제 그를 만난다

이제 따스한 그의 이야기 속으로 들어온 것이다

이제 마음 따뜻한 그와 훈훈한 이야기를 나누며

그가 시작된 오늘 그에게 내 따스한 마음 한 잔 주며

나의 온화한 미소를 그에게 선물할 것이다

보리수아래 감성 시집 1
성인제 시집

행복한 기다림

시인   성인제

펴낸곳   도서출판 도반
펴낸이   이상미
편집   김광호, 이상미
대표전화   031-465-1285
이메일   dobanbooks@naver.com
홈페이지   http://dobanbooks.co.kr
주소   경기도 안양시 만안구 안양로 332번길 32

불교와 장애인의 문화예술이 있는
"보리수 아래"

보리수 아래는 2005년에 청량사 지현스님(현 대한불교조계종 조계사 주지)의 제언으로 결성되어 불교와 문화예술에 관심있는 장애인들의 문화예술 활동을 지원하고 그들이 재능을 발휘할 수 있는 기회를 제공하고 있습니다. 또한 그들의 재능과 능력을 살려 참된 신앙생활과 바른 포교활동을 하고 이 사회의 일원으로 더불어 살아가도록 지원하고 있습니다.

주요 사업은 장애인의 예술창작과 발표 활동, 장애인의 문화예술교육 지원, 장애불자를 위한 포교활동 및 신행생활 지원, 재능을 기반으로 한 출판 지원, 장애인의 사회적 인식 개선 등 다양한 사업을 하고 있습니다.

현재 월1회 정기 모임을 매월 셋째주 토요일에 갖고 있으며 장애인 문화예술활동과 불교에 관심있는 분이면 누구나 동참하실 수 있습니다.

많은 분들의 관심과 후원이 필요합니다!. 정기후원,
일시후원, 물품후원, 재능기부, 자원봉사 등으로 후원
하실 수 있습니다.

■ 후원계좌 :

하나은행 163-910009-28505 보리수아래

국민은행 841501-04-027667 보리수아래

국민은행 220602-04-213491 최명숙(보리수아래)

■ 후원문의 :

☎ 02)) 9 5 9 ― 2 6 11

이메일 cmsook1009@naver.com

■ 홈페이지 :

Whttp://cafe.naver.com/borisu0708